Omgaan met...

Drugs

Ana Deboo

Corona
Ars Scribendi Uitgeverij

Verantwoording:
De schrijfster en uitgever bedanken de volgende personen en organisaties voor hun
toestemming om hun beeldmateriaal in deze publicatie te reproduceren.

© Alamy: 6 Oote Boe, 10 Bob Pardue, 12 Darrin Jenkins, 15 Photofusion Picture Library, 17 Pictor International/
ImageState, 19 John Rensten, 24 Ace Stock Limited; © Art Directors and Trip: 13, 14 en 18; © Corbis: 20, 21
en 27 Roy Morsch/zefa; © Getty: voorplatfoto Malcolm Piers/The Image Bank, 4 Phil Degginger/Stone, 16
Bruce Gardner/Stone, 22 Photodisc, 23 Penny Tweedie/Stone, 25 Michael Tamborrino/Taxi, 26 Seth Goldfarb/
Photonica, 28 Kaz Mor/Photographer's Choice, 29 David Harry Stewart/Stone; © Science Photo Library: 5 en 7
Robert Isear, 8 Scott Camazine, 9.

Alle internetadressen (URL's) die op pagina 31 worden vermeld, waren geldig bij het ter perse gaan
van dit boek. Als gevolg van het dynamische karakter van het internet is het mogelijk dat enkele adressen
na het uitkomen van dit boek zijn gewijzigd of dat internetsites zijn veranderd of opgeheven. De uitgever
betreurt het als dit voor de lezer ongemak veroorzaakt, maar de uitgever kan zich voor dergelijke
veranderingen niet aansprakelijk stellen.

Breng een bezoek aan onze internetsite: **www.arsscribendi.com** en vindt er alle informatie over de uitgaven
van Ars Scribendi bv. Bestel via onze internetsite of ga naar de boekhandel.

Inhoud

Vetgedrukte woorden worden uitgelegd in de woordenlijst op pagina 30.

Gevaren van drugs

Er zijn veel drugs om ons heen. Sommige **medicijnen** zijn eigenlijk ook een drug. Die mogen we alleen gebruiken als we ziek zijn en op advies van de arts.

⬇ In een apotheek worden geneesmiddelen verkocht.

➡ Er bestaan verboden drugs in de vorm van poeders, pillen of gedroogde planten.

Sommige drugs zijn verboden omdat ze gevaarlijk zijn. Ze veroorzaken hartaanvallen, problemen met ademen en andere ziekten. Ook drugs die wel toegestaan zijn, zijn slecht als we ze niet juist gebruiken.

Wat zijn drugs?

↑ Alle tabaksproducten bevatten ook een drug, nicotine.

Een drug is een **chemische** stof die wordt gebruikt om de werking van de hersenen en het lichaam te veranderen. Drugs kunnen worden ingeslikt of **geïnhaleerd** door de mond of door de neus. Sommige drugs worden ingespoten met een injectienaald of op de huid gesmeerd.

De meeste drugs worden van planten, of van chemische stoffen, gemaakt. Sommige drugs en medicijnen hebben een milde **uitwerking**, zoals een kalmerende zalf die je op uitslag van de huid smeert tegen de jeuk. Maar sterkere middelen kunnen een grote invloed hebben op je lichaam en geest.

← Medicijnen worden in fabrieken gemaakt.

Drugs in de geschiedenis

Drugs bestaan al heel lang. Waarschijnlijk hebben mensen de uitwerking ontdekt toen ze probeerden om planten te eten. De papaver of slaapbol is een plant met mooie bloemen en zaden, waarvan allerlei drugs worden gemaakt.

➡

De Oude Grieken gebruikten de papaverplant als medicijn.

➡ Van de vezels van hennep maakt men ook touw en stoffen.

Bijna 5000 jaar geleden gebruikten mensen in China de bladeren van de hennepplant als medicijn. De drug **marihuana** wordt daar van gemaakt.

Medicijnen

Medicijnen zijn stoffen die helpen tegen lichamelijke of geestelijke problemen. Sommige zijn vrij verkrijgbaar. We kunnen ze kopen zonder **recept** van de dokter en gebruiken wanneer we willen.

← Bij medicijnen op recept moet je precies doen wat de dokter zegt.

➡ Lees altijd de bijsluiter voordat je een medicijn neemt.

Belangrijke informatie
Waarschuwingen

Alcohol: Als u per dag 3 of meer glazen alcoholhoudende drank gebruikt, moet u uw arts vragen of u paracetamol of andere pijnstillende en koortsverlagende middelen mag gebruiken. Paracetamol kan schade aan de lever veroorzaken.

Pijnlijke keel: Ga meteen naar een arts als ernstige keelpijn meer dan 2 dagen duurt of samengaat met koorts, hoofdpijn, uitslag, misselijkheid of overgeven.

Niet gebruiken
- samen met een ander middel dat paracetamol bevat
- of als u nu een monoamine oxidase-remmer gebruikt (een op recept verkrijgbaar medicijn tegen depressie, psychiatrische stoornissen of ziekte van Parkison) of dat minder dan 2 weken geleden hebt gedaan. Weet u niet of uw medicijnen deze stoffen bevatten, vraag dit dan aan een arts of apotheker voordat u dit product gebruikt.

Raadpleeg vóór gebruik een arts als u lijdt aan:
- hartklachten
- hoge bloeddruk
- schildklierziekte
- diabetes
- vergrote prostaat
- chronische hoest door roken, astma of emfyseem
- hoest door te veel slijm

De aangegeven dosis niet overschrijden

Stoppen met gebruik en een arts raadplegen als:
- u last krijgt van zenuwachtigheid, duizeligheid of slapeloosheid
- de pijn, neusverstopping of hoest erger wordt of meer dan 7 dagen duurt

Informatie (vervolg)
- de koorts erger wordt of meer dan 3 dagen duurt;
- roodheid of zwellingen optreden;
- nieuwe symptomen ontstaan;
- de hoest terugkomt of samengaat met uitslag of blijvende hoofdpijn.

Dit kunnen tekenen zijn van een ernstige ziekte.

Bij zwangerschap of borstvoeding mag u dit middel alleen gebruiken op advies van uw arts.

Buiten bereik van kinderen houden.

Overdosis: Meer gebruiken dan de voorgeschreven dosis kan leverschade veroorzaken. Zoek bij een overdosis direct medische hulp. Dit geldt niet alleen voor kinderen, maar ook voor volwassenen, ook al hebt u nergens last van.

Aanwijzingen voor het gebruik

Niet meer gebruiken dan voorgeschreven (zie de waarschuwing voor een overdosis)

Volwassenen en kinderen boven 12 jaar
- Neem elke vier uur twee tabletten
- Neem niet meer dan 12 tabletten in 24 uur
- Heel doorslikken – niet fijnmaken, kauwen of oplossen

Kinderen tot 12 jaar
Dit product niet gebruiken voor kinderen tot 12 jaar; het leidt tot overdosering en kan schade aan de lever veroorzaken.

Overige informatie
- Bewaren bij 20-25°C
- Niet gebruiken als de verpakking geopend is
- Zie onderkant voor houdbaarheidsdatum

Sommige medicijnen kun je alleen kopen als een dokter vindt dat je ze nodig hebt. Dan krijg je er een recept voor.

Bekende drugs

← Marihuana bestaat uit gedroogde blaadjes en wordt gerookt.

Tabak en alcohol zijn heel bekende drugs, die volwassenen mogen gebruiken. De bekendste verboden drugs zijn marihuana (wiet) en **hasjiesj (hasj)**. Andere voorbeelden van verboden drugs zijn **ecstasy** (**XTC**), **cocaïne**, heroïne en **LSD**.

Ook **anabole steroïden** zijn verboden middelen. Sommige sporters gebruiken ze om grotere en sterkere spieren te krijgen. Maar ze kunnen iemand ook driftig en gewelddadig maken.

➡ Bij het sporten mogen geen steroïden worden gebruikt.

Verkeerd gebruik

➡ Van marihuana kun je een moe gevoel krijgen.

Mensen gebruiken drugs vaak om zich anders te gaan voelen. Ze hopen dat ze kalmer en gelukkiger worden, of actiever. Maar als de drug is uitgewerkt, voelen ze zich meestal slechter dan ooit.

↑ Alcohol is een drug die toegestaan is, maar veel problemen kan veroorzaken.

Sommige mensen gebruiken drugs om hun problemen of narigheden te vergeten. Maar drugs zijn geen oplossing. Meestal maken ze de problemen alleen maar groter.

Verslaving

Veel drugs zijn **verslavend**. De gebruiker kan niet meer zonder. Door een verandering in zijn hersenen heeft zijn lichaam het gevoel dat het zonder de drug niet meer goed werkt.

← Sommige medicijnen zijn ook verslavend.

➡ Veel verslaafden willen wel stoppen, maar voelen zich ziek als ze geen drugs gebruiken.

Als iemand aan iets verslaafd is, raakt zijn lichaam eraan gewend. Verslaafden hebben steeds meer van hun drug nodig om de uitwerking te merken, of om zich normaal te voelen.

Ziek worden door drugs

← Als mensen drugs inspuiten, kan de naald ziekten overbrengen.

De schade aan de gezondheid is soms het gevolg van de manier waarop de drugs worden gebruikt. Bij roken komen er deeltjes in de longen terecht die kanker en andere ziekten kunnen veroorzaken.

Door drugs gaan de hersenen en het lichaam anders werken. Dat vergroot de kans op ongelukken. Drugs kunnen ook gevaarlijke **bijwerkingen** hebben. Cocaïne versnelt de hartslag en kan hartaanvallen veroorzaken.

⬇ Cocaïne wordt meestal als poeder opgesnoven.

Overdosis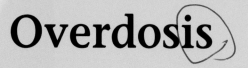

Een van de grootste gevaren van drugs is het innemen van een **overdosis**. Dit betekent dat er te veel van de drug in iemands lichaam komt.

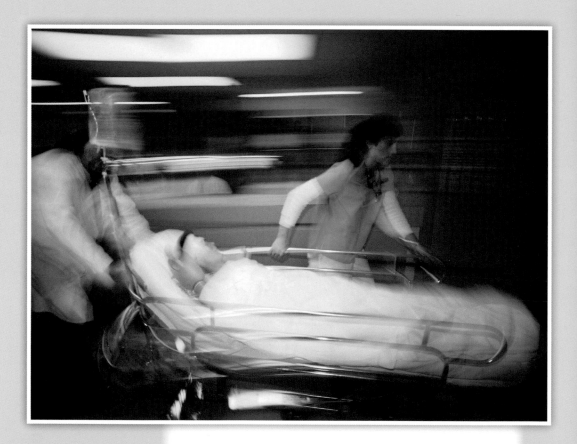

↑ Een overdosis kan een **coma** en later de dood veroorzaken.

↑ Soms worden drugs gemengd met chemische stoffen waardoor ze giftig worden.

Een overdosis komt vaak door een drug die te sterk is. De maker ervan wist niet genoeg van chemische stoffen. Of hij heeft goedkope grondstoffen gebruikt om meer te verdienen.

Nare gevolgen

← Drugsverslaafden kunnen hun eten en hun huis vaak niet betalen.

Drugsgebruik kan het leven van mensen op allerlei manieren verwoesten. Drugs zijn duur. Veel gebruikers houden niet genoeg geld over voor andere dingen die ze nodig hebben.

Mensen die verslaafd zijn aan drugs, hebben vaak moeite om zich te concentreren. Soms raken ze hun baan kwijt of gaan zonder diploma van school.

← Door drugs kun je je eenzaam gaan voelen.

De wet

Het is in strijd met de wet om verboden drugs te maken, te verkopen of te gebruiken. Je kunt gearresteerd worden als je ze bij je hebt.

← Gebruik nooit medicijnen die iemand anders op recept verkregen heeft.

➡ Wie een kleine hoeveelheid drugs bij zich heeft kan al gevangenis-straf krijgen.

Op het overtreden van deze wetten staan strenge straffen. Je kunt erdoor in de gevangenis komen.

Kinderen en drugs

➡ Sommige jonge mensen proberen drugs om erbij te horen.

Veel jonge mensen willen nieuwe dingen proberen. Soms denken ze dat drugs helpen tegen hun problemen. Maar drugs kunnen narigheid veroorzaken die veel langer duurt dan de pret.

Het is altijd verstandig om goed te weten waaraan je begint. Probeer zoveel mogelijk over drugs te weten te komen, voordat je besluit of je het risico wilt nemen.

⬆ Vrienden zouden je moeten helpen om geen drugs te gebruiken.

Hoe kun je hulp krijgen?

Als je iemand kent die vaak drugs gebruikt, kun je helpen. Er zijn speciale telefoonnummers waar je advies kunt krijgen. Zoek op internet of in het telefoonboek bij 'drugs' of 'verslaving'.

➡ Als vrienden van je drugs gebruiken, praat er dan over met een volwassene.

➡ Steun van vrienden en familie is belangrijk om een drugsverslaving te overwinnen.

Veel drugsgebruikers lukt het om te stoppen als ze merken hoe hun leven eronder lijdt. Er zijn speciale klinieken en steungroepen voor verslaafden. Vrienden en familieleden kunnen helpen, maar uiteindelijk moeten mensen zelf besluiten om ermee op te houden.

Woordenlijst

anabole steroïde – stof die spieren groter en sterker maakt, en stemmingsproblemen kan veroorzaken

bijsluiter – informatie bij een medicijn

bijwerking – onbedoelde uitwerking van een drug of medicijn

chemische stoffen – stoffen die een rol spelen in natuurwetenschappelijke processen

cocaïne – van de cocaplant gemaakte drug die wordt opgesnoven

coma – bewusteloosheid als gevolg van verwondingen, ziekte of drugsgebruik

ecstasy – drug die op den duur de werking van de hersenen aantast, en als een pil wordt ingenomen

hasjiesj (hasj) – drug gemaakt van de hars van hennepplanten

heroïne – drug die gemaakt wordt van papavers en meestal met een naald wordt ingespoten

inhaleren – diep inademen

LSD – chemische drug waardoor je dingen anders gaat zien, en die angsten en andere bijwerkingen kan veroorzaken

marihuana (wiet) – gedroogde hennepbladeren die gerookt worden

medicijnen – stoffen die gebruikt worden om lichamelijke of geestelijke problemen te voorkomen of te genezen

overdosis – een te grote hoeveelheid van een medicijn of drug

recept – voorschrift van een arts waarmee je een bepaald medicijn kunt kopen

uitwerking – verandering die door iets wordt veroorzaakt

verslavend – zodat je het gevoel krijgt dat je niet zonder kunt

Meer weten?

Boeken:

Amfetaminen door Sean Connolly
ISBN/EAN 978-90-5495-448-4, Ars Scribendi – 2003

Cocaïne door Sean Connolly
ISBN/EAN 978-90-5495-446-0, Ars Scribendi –2002

Hasj en Weed door Sean Connolly
ISBN/EAN 978-90-5495-752-2, Ars Scribendi – 2004

Heroïne door Sean Connolly
ISBN/EAN 978-90-5495-442-2, Ars Scribendi – 2002

LSD door Sean Connolly
ISBN/EAN 978-90-5495-447-7, Ars Scribendi – 2002

Pijnstillers en Kalmerende middelen door Michael Durham
ISBN/EAN 978-90-5495-757-7, Ars Scribendi – 2005

Steroïden door Sean Connolly
ISBN/EAN 978-90-5495-444-6, Ars Scribendi – 2003

Tabak door Sean Connolly
ISBN/EAN 978-905495-449-1, Ars Scribendi – 2001

XTC door Sean Connolly
ISBN/EAN 978-90-5495-443-9, Ars Scribendi – 2002

Internetsite:

www.druglijn.be

Op deze site vindt je onder meer informatie over het voorkomen van drugsgebruik, de effecten en risico's van drugs en hoe om te gaan met drugsgebruik in je vriendenkring.

Feiten over drugs:

Heel lang wisten mensen niet hoe verslavend sommige drugs zijn. Tot 1929 bevatte Coca-Cola een kleine hoeveelheid coca – de stof waarvan cocaïne wordt gemaakt.

Drugs kunnen heel gevaarlijk zijn wanneer deze in combinatie worden gebruikt. Wie bepaalde medicijnen tegen verkoudheid of allergie gebruikt en daarbij alcohol drinkt, kan heel slaperig worden. En alcohol met paracetamol vergroot de kans op schade aan de lever.

Register